아서 스타터 워크북 13

아서의 나무 위의 집

글·그림 마크 브라운

룬테일 공부스르

등장인물

D.W.

메리 무 카우를 좋아하는 아서의 여동생. 아서를 괴롭히는 게 취미이다.

엄마

아서의 엄마. 회계사로 언제나 바쁘게 일한다.

아빠

아서의 아빠. 다양한 요리로 늘 아서의 가족을 놀라게 한다.

바이오닉 버니

아서가 즐겨 보는 만화책의 주인공. 키가 큰 근육질의 슈퍼히어로이다.

팔

아서 가족의 반려견. 사고뭉치이지만 아서를 잘 따른다.

Contents

본 워크북에 담긴 한국어 번역의 페이지는 영어 원서의 페이지와 동일하게 유지했습니다.
영어 원서를 읽다가 이해가 가지 않는 부분이 있다면, 워크북의 같은 페이지를 펼쳐 보세요! 궁금한 부분의 번역을 쉽게 확인할 수 있습니다.

영어 원서를 100 단어 기준으로 총 세 개의 파트로 나누어, 각 파트별로 다양한 액티비티를 담았습니다. 재미있게 영어 원서를 읽고 액티비티를 풀어 나가다 보면 영어 실력도 쑥쑥 향상될 것입니다!

부록으로 제공되는 MP3 CD에는 '듣기 훈련용 오디오북'과 '따라 읽기용 오디오북'의 두 가지 오디오북이 담겨 있습니다.
'듣기 훈련용 오디오북'은 원어민 전문 성우가 녹음한 오디오북으로 재미있는 효과음이 곁들여져 원서의 내용을 실감나게 이해하도록 도울 것입니다.
'따라 읽기용 오디오북'은 초보 학습자들을 위한 오디오북으로 효과음을 제거하고 조금 더 천천히 녹음한 것으로 학습용으로 사용하기에 유용할 것입니다.

아서는 새로 나온 바이오닉 버니 만화책을 가지고 집에 왔습니다.

그는 얼른 그것을 읽고 싶었습니다.

아빠가 아서의 침실에서 청소기를 돌리고 있었습니다.

“그거 꼭 지금 하셔야 해요?” 아서가 물었습니다.

“유감스럽지만 그렇단다.” 아빠가 말했습니다. “금방 끝날 거야.”

TUCKER

아서는 거실로 갔습니다.

“나 좀 봐!” D.W.가 말했습니다. “난 새로 배운 회전 동작을 연습하고 있어.”

“그럴 수 없어.” 아서가 말했습니다. “난 바쁘단 말이야.”

"엄마, 저 여기에 앉아도. . . ?"

"지금은 안 돼, 아서." 엄마가 말했습니다.

"난 지금 이걸 하는 중이란다."

아서는 뒤뜰로 나갔습니다.

“어쩌면 나는 그냥 여기에 앉는 게 좋겠어.” 그는 혼잣말했습니다.

팔이 그의 몸 위로 뛰어오르기 시작했습니다.

“지금은 안 돼, 팔.” 아서가 말했습니다.

하지만 팔은 이해하지 못했습니다.

아서는 어디로 갈 수 있을까요?

그는 오른쪽을 보았습니다.

그리고 그는 왼쪽을 보았습니다.

그러고 나서 그는 위를 올려다보았습니다.

"내가 보기에 너는 너만의 장소를 찾은 것 같구나." 청소를 끝낸, 아빠가 말했습니다. "너는 그 위에 있는 게 아주 편안해 보여."

BIONIC BUNNY
FREE
NEW!
BIONIC BUNNY

“저기, 저는 어떡하고요?” D.W.가 말했습니다.

“나뭇가지 남은 거 있니?” 엄마가 말했습니다.

"이건 정말 멋진 생각이었어, 아서." 아빠가 말했습니다.
"하지만 나는 우리가 몇 가지를 손보면 좋을 것 같구나."

모든 것을 제대로 하는 데 시간이 좀 걸렸습니다.

일단 나무 위의 집이 모두 완성되자,

아서에게 갈 수 있는 새로운 장소가 생겼습니다.

그리고 그의 친구들에게도 생겼지요.

DARK BUNNY
CHIPS
TOLON

가끔씩 그의 가족도 마찬가지로, 그곳을 방문했습니다.

아서는 찾아오는 모든 사람을 환영했습니다. 하지만 때때로. . .

그는 여전히 그곳을 혼자 누리는 게 좋았습니다.

Activities

영어 원서를 총 세 개의 파트로 나누어,
각 파트별로 다양한 액티비티를 담았습니다.

각 파트의 영어 원서 페이지는 롱테일북스에서 출간된
'롱테일 에디션'을 기준으로 합니다!

Vocabulary Part 1

오다 (과거형 came)

come

집, 가정

home

새로운

new

토끼

bunny

만화

comic

책

book

기다리다

wait

읽다, 읽어 주다

read

진공청소기로 청소하다;
진공청소기

vacuum

침실

bedroom

지금

now

거실

living room

보다

watch

연습하다; 연습

practice

빙그르르 돌기

twirl

바쁜

busy

앉다

sit

(일의) 중간

middle

A 알파벳을 바르게 배열하여 그림에 맞게 단어를 완성해 보세요.

1

s y u b

b

2

c e m o

3

a i t w

B 알파벳을 바르게 써넣어 그림에 알맞은 단어를 완성해 보세요.

1

watc

2

v cu m

3
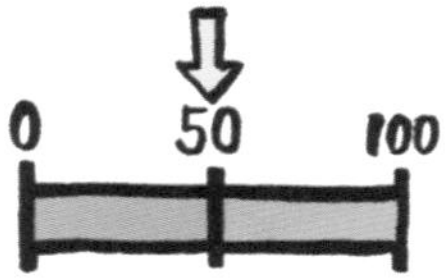

mi l

C 그림을 보고 알맞은 단어를 퍼즐에서 찾은 뒤, 빈칸에 단어를 써 보세요.

k	a	r	b	u	n	n	y
l	p	d	y	q	z	e	q
c	o	m	i	c	g	w	x
e	w	a	j	e	t	k	l
f	h	s	w	h	w	s	y
u	o	r	t	u	i	a	p
l	m	e	d	z	r	z	h
r	e	p	i	v	l	q	d

1

new

2

3

4

5

A 이야기의 순서에 맞게 번호를 적어 보세요.

Arthur had to leave
his bedroom.

D.W. bothered Arthur.

1

Arthur came home
with his new comic book.

Arthur couldn't sit with Mom.

B 각 단어에 알맞은 그림을 찾고, 이를 설명하는 문장을 찾아 바르게 이어 보세요.

read

Dad vacuumed in Arthur's room.

vacuum

D.W. showed Arthur her new twirl.

living room

Arthur couldn't wait to read his new comic book.

twirl

Arthur tried to read in the living room.

C 다음 그림을 보고 아래의 단어를 알맞게 넣어 문장을 완성해 보세요.

busy　　practice　　watch

1. D.W. wanted Arthur to ______________ her.

2. D.W. twirled in the living room for ______________ .

3. Arthur was ______________ reading his new comic book.

D 책의 내용과 일치하면 TRUE에, 그렇지 않으면 FALSE에 동그라미를 그려 보세요.

1. Arthur wanted to read his new comic book alone. TRUE FALSE
2. Dad was just done vacuuming when Arthur came into his bedroom. TRUE FALSE
3. D.W. practiced her new twirl in the living room. TRUE FALSE
4. Mom was in the middle of something. TRUE FALSE

E 다음 질문에 대한 알맞은 답을 골라 보세요.

What did Dad do when Arthur came home?

a. He read a book.

b. He watched D.W. practice.

c. He vacuumed in Arthur's bedroom.

Let's Write! Part 1

A 우리말에 맞게 알맞은 짝을 찾아 바르게 연결하고 완성된 문장을 두 번씩 써 보세요.

1	He couldn't wait	in a little while.
2	I'll be done	to read it.
3	I'm practicing	in the middle of this.
4	I'm right	my new twirl.

1 그는 얼른 그것을 읽고 싶었습니다.

He couldn't wait to read it.

2 금방 끝날 거야.

3 난 새로 배운 회전 동작을 연습하고 있어.

4 난 지금 이걸 하는 중이란다.

Vocabulary Part 2

뒤뜰, 뒷마당

backyard

앉다

sit

여기에, 이곳에

here

시작하다

start

뛰다, 점프하다

jump

이해하다, 알아듣다

understand

보다, 보이다

look

오른쪽

right

왼쪽

left

위로, 위쪽으로

up

찾다, 발견하다 (과거형 found)

find

장소, 곳

place

끝내다, 마치다

finish

청소, 정리

cleaning

편안한, 쾌적한

comfortable

거기에, 그곳에

there

나뭇가지

branch

남기다, 떠나다 (과거분사형 left)

leave

Word Review Part 2

A 알파벳을 이어서 알맞은 그림과 연결하고, 빈칸에 완성된 단어를 써 보세요.

r

s e

t

a

j t

e r

u

l o k

m

h o p

start

B 그림을 보고 같은 색깔의 알파벳을 바르게 배열하여 빈칸에 써 보세요.

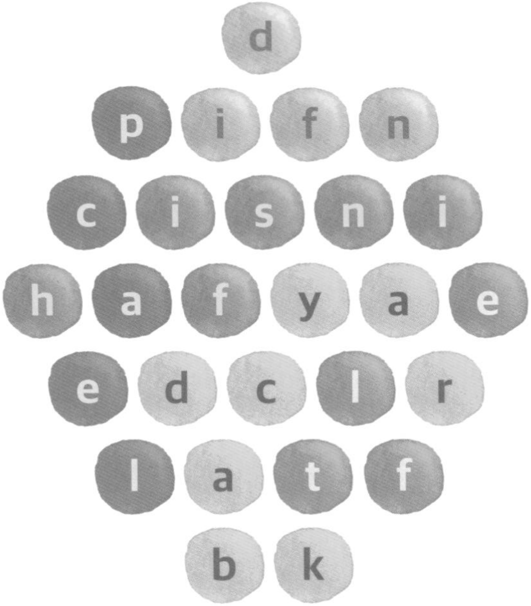

1

left

2

3

4

5

Wrap Up! Part 2

A 이야기의 순서에 맞게 번호를 적어 보세요.

Dad found Arthur up in the tree.

Arthur went out to the backyard.

Arthur wanted to find a place for himself.

D.W. wanted to be with Arthur and Dad.

B 두 개의 문장 중 오른쪽에 있는 그림을 바르게 설명하는 문장을 골라 보세요.

1

ⓐ Pal started jumping on Arthur.

ⓑ Pal started barking at Arthur.

2

ⓐ Arthur looked for a place to go.

ⓑ Arthur looked for some branches.

3

ⓐ Arthur was sitting in the kitchen.

ⓑ Arthur was sitting in the tree.

4

ⓐ Mom worried about Arthur in the tree.

ⓑ Mom wanted to go up the tree.

C 다음 그림을 보고 아래의 단어를 알맞게 넣어 문장을 완성해 보세요.

jump　　backyard　　understand

1. Arthur and Pal were in the ________________ .

2. Arthur didn't want Pal to ________________ on him.

3. Pal didn't ________________ what Arthur said.

D 책의 내용과 일치하면 TRUE에, 그렇지 않으면 FALSE에 동그라미를 그려 보세요.

1 Pal wanted to play with Arthur in the backyard. TRUE FALSE

2 Arthur started reading his new comic book to Pal. TRUE FALSE

3 Arthur found a comfortable place for himself. TRUE FALSE

4 Dad went up the tree to be with Arthur. TRUE FALSE

E 다음 질문에 대한 알맞은 답을 골라 보세요.

Where did Arthur decide to go in the end?

a To the backyard

b To the living room

c On the branches of the tree

Let's Write! Part 2

A 오늘 공부한 문장을 따라 써 보세요.

1 아서는 뒷마당으로 나갔습니다.

Arthur went out to the backyard.

2 팔이 그의 몸 위로 뛰어오르기 시작했습니다.

Pal started jumping on him.

3 아서는 어디로 갈 수 있을까요?

Where could Arthur go?

4 그는 왼쪽을 보았습니다.

He looked to the left.

5 내가 보기에 너는 너만의 장소를 찾은 것 같구나.

I see you found a place for yourself.

6 너는 그 위에 있는 게 아주 편안해 보여.

You look pretty comfortable up there.

Vocabulary Part 3

정말 좋은, 기쁜

great

발상, 생각

idea

생각하다

think

만들다

make

몇몇의, 어떤

some

개선, 발전

improvement

(시간이) 걸리다 (과거형 took)

take

모든 것, 모두

everything

나무

tree

집

house

친구

friend

가끔, 때때로

sometimes

가족

family

방문하다, 찾아가다

visit

반가운, 기쁜, 좋은

glad

모든; 모두, 다

all

손님, 친구

company

좋아하다

like

Word Review Part 3

A 그림을 보고 알파벳 속에서 맞는 단어를 찾아 빈칸에 써 보세요.

alricompanyhoedyvisithoksomeoshfthinkwrlikenteverythingbfg

1 

company

2 

3 

4 

5 

6 

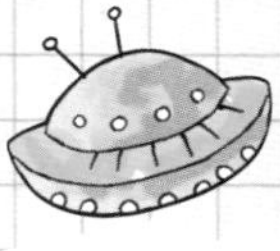

B 그림을 보고 알맞은 단어를 퍼즐에 넣어 완성한 뒤, 빈칸에 단어를 써 보세요.

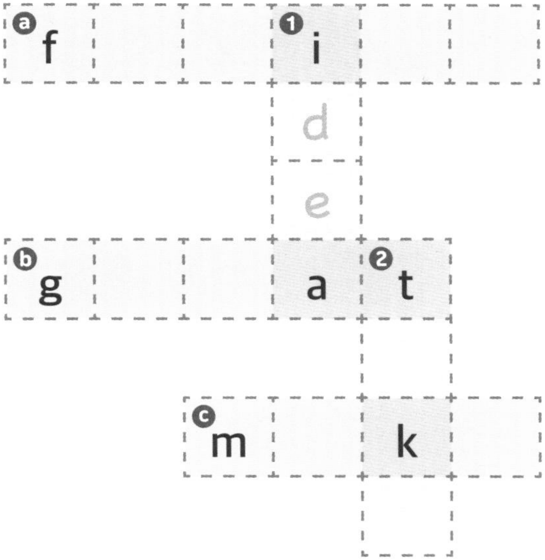

❶

idea

❷

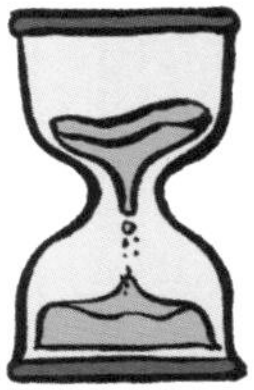

ⓐ

ⓑ

ⓒ

Wrap Up! Part 3

A 이야기의 순서에 맞게 번호를 적어 보세요.

Arthur still liked having the tree house to himself.

Arthur's family also had a new place to go.

Sometimes Arthur's friends visited the tree house.

Dad thought that Arthur's idea was great.

B 그림의 각 부분을 올바르게 설명하는 문장을 찾아 빈칸에 맞는 기호를 넣어 보세요.

ⓐ Dad liked Arthur's idea of being up the tree.

ⓑ The tree house needed some improvements.

ⓒ Arthur was happy to have a new place to go.

ⓓ Arthur's friends and family would go to the tree house.

C 다음 그림을 보고 아래의 단어를 알맞게 넣어 문장을 완성해 보세요.

company glad visit

1. Arthur's family would ______________ the tree house.

2. Arthur liked having ______________ in the tree house.

3. Arthur was ______________ to have the place to himself, too.

D 책의 내용과 일치하면 TRUE에, 그렇지 않으면 FALSE에 동그라미를 그려 보세요.

1. The tree house was a great idea. TRUE FALSE
2. It took a while to make the tree house. TRUE FALSE
3. Arthur and his friends made some improvements to the tree house. TRUE FALSE
4. There were times when Arthur wanted to be alone. TRUE FALSE

E 다음 질문에 대한 알맞은 답을 골라 보세요.

How did Arthur feel when people visited the tree house?

a. He wanted to make them leave.

b. He was happy to have company.

c. He was busy cleaning the tree house.

Let's Write! Part 3

A 우리말에 맞게 네모 안에 있는 말을 바르게 배열해 보세요.

1 이건 정말 멋진 생각이었어.

a great idea 정말 멋진 생각	was ~이었다	This 이것은

This was ______________________________.

2 우리가 몇 가지를 손보면 좋을 것 같구나.

We 우리가	should make 손보면 좋을 것 같다	some improvements 몇 가지를

______________________________.

3 아서에게 갈 수 있는 새로운 장소가 생겼습니다.

Arthur 아서는	to go 갈 수 있는	a new place 새로운 장소가	had 생겼다

______________________________.

4 가끔씩 그의 가족은 그곳을 방문했습니다.

his family 그의 가족은	came to visit 그곳을 방문했다	Sometimes 가끔씩

.

5 아서는 찾아오는 모든 사람을 환영했습니다.

was glad 환영했다	Arthur 아서는	for all the company 찾아오는 모든 사람을

.

6 그는 여전히 그곳을 혼자 누리는 게 좋았습니다.

still liked 여전히 좋아했다	He 그는	to himself 혼자	having the place 그곳을 누리는 것을

.

Answers

Part 1

Word Review

A

1 

syub

busy

2 

cemo

come

3 

aitw

wait

B

1 

watch

2 

vacuum

3 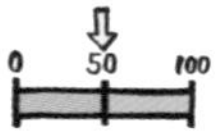

middle

C

k	a	r	b	u	n	n	y
l	p	d	y	q	z	e	q
c	o	m	i	c	g	w	x
e	w	a	j	e	t	k	l
f	h	s	w	h	w	s	y
u	o	r	t	u	i	a	p
l	m	e	d	z	r	z	h
r	e	p	i	v	l	q	d

1 

new

2 

home

3 

comic

4 

bunny

5 

twirl

Wrap Up!

A

2 Arthur had to leave his bedroom.

3 D.W. bothered Arthur.

1 Arthur came home with his new comic book.

4 Arthur couldn't sit with Mom.

B

read  Dad vacuumed in Arthur's room.

vacuum  D.W. showed Arthur her new twirl.

living room  Arthur couldn't wait to read his new comic book.

twirl  Arthur tried to read in the living room.

C

1. D.W. wanted Arthur to watch her.
2. D.W. twirled in the living room for practice .
3. Arthur was busy reading his new comic book.

D 1 TRUE 2 FALSE 3 TRUE 4 TRUE

E c

Let's Write!

A

1 He couldn't wait	to read it.
2 I'll be done	in a little while.
3 I'm practicing	my new twirl.
4 I'm right	in the middle of this.

Part 2

Word Review

A

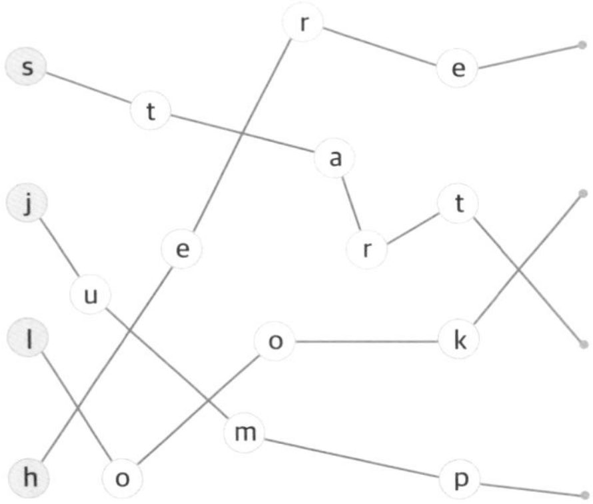

here

look

start

jump

B

1 

left

2 

finish

3 

place

4 

find

5 

backyard

Wrap Up!

A

3
Dad found Arthur up in the tree.

1
Arthur went out to the backyard.

2
Arthur wanted to find a place for himself.

4
D.W. wanted to be with Arthur and Dad.

B 1 a 2 a 3 b 4 b

C

1 Arthur and Pal were in the backyard .

2 Arthur didn't want Pal to jump on him.

3 Pal didn't understand what Arthur said.

D 1 TRUE 2 FALSE 3 TRUE 4 TRUE

E c

Part 3

Word Review

A

alricompanyhoedyvisithoksomeoshfthinkwrlikenteverythingbfg

1 
company

2 

visit

3 
think

4 
some

5 
like

6 
everything

B

ⓐ f	a	m	❶ i	l	y
			d		
			e		
ⓑ g	r	e	a	❷ t	
				a	
		ⓒ m	a	k	e
				e	

1 
idea

2 
take

a 
family

b 
great

c 
make

Wrap Up!

A

Arthur still liked having
the tree house to himself.

Arthur's family also had
a new place to go.

Sometimes Arthur's friends
visited the tree house.

Dad thought that
Arthur's idea was great.

B

C

1 Arthur's family would visit the tree house.

2 Arthur liked having company in the tree house.

3 Arthur was glad to have the place to himself, too.

D

1 TRUE 2 TRUE 3 FALSE 4 TRUE

E

b

Let's Write!

A

1 This was a great idea.
2 We should make some improvements.
3 Arthur had a new place to go.
4 Sometimes his family came to visit.
5 Arthur was glad for all the company.
6 He still liked having the place to himself.

More Arthur Stories to Read!

01 Arthur and the Big Snow
02 Arthur and the Dog Show
03 Arthur Helps Out
04 Arthur Jumps into Fall
05 Arthur Tells a Story
06 Arthur to the Rescue
07 Arthur's Birthday Surprise
08 Arthur's Heart Mix-Up
09 Arthur's Homework
10 Arthur's Jelly Beans
11 Arthur's Mystery Babysitter
12 Arthur's Off to School
13 Arthur's Tree House

재미있는 내용을 쉬운 문장과 간결한 표현으로 풀어 낸 기초 원서,
『아서 스타터(Arthur Starter)』 시리즈

아이들의 눈높이에 맞춘 유쾌한 이야기!
실생활에 바로 적용할 수 있는 영어 표현!

ARTHUR'S TREE HOUSE

아서의 나무 위의 집

초판 발행 2022년 1월 3일

글·그림 마크 브라운
번역및콘텐츠감수 유아름 정소이
콘텐츠제작참여 기나현 선생님(경기 고양 일산중) 김수정 선생님(경기 부천 계남초)
이재영 선생님(서울 영등포 영림초) 임소연 선생님(경기 동두천 생연초)
영문감수 Julie Tofflemire
책임편집 유아름 정소이 김보경
디자인 모희정 이강효
저작권 김보경
마케팅 김보미 정경훈

기획 김승규
펴낸이 이수영
펴낸곳 롱테일북스
출판등록 제2015-000191호
주소 04033 서울특별시 마포구 양화로 113(서교동) 3층
전자메일 helper@longtailbooks.co.kr

ISBN 979-11-91343-37-3 14740